MAREA CARTE CU ÎNTREBĂRI

Traducere: Diana Trăncuţă

DPH
DIDACTICA PUBLISHING HOUSE

Poți găsi...

...urmele ascunse care apar în carte de 15 ori? Ai grijă la impostori...

Marea carte cu întrebări este modul meu de a celebra legăturile minunate care există între oameni și natură.

De la aerul pe care-l respirăm, hrana pe care o mâncăm, aventurile pe care le căutăm, bucuria pe care o trăim, regăsim o legătură cu natura în fiecare parte din ființa noastră. Și, pe măsură ce ne reconectăm cu natura, ne reconectăm mai mult cu noi înșine.

Aș vrea să dedic această carte tuturor copiilor care se cațără în copaci, aleargă desculți, sar în băltoace, caută insecte, cântă la unison cu păsările, gustă fulgii de zăpadă și numără stelele.

Deoarece toți aparținem naturii și natura ne aparține tuturor...

YUVAL ZOMMER

CE VEI DESCOPERI ÎN CARTE

ANIMALELE DIN JURUL NOSTRU

Câte specii există pe planeta noastră?

Nu știm! În fiecare zi, oamenii de știință descoperă specii noi în oceane și în păduri tropicale, dar există milioane despre care știm deja. Aceste viețuitoare se împart în grupuri de animale, în funcție de trăsăturile pe care le au în comun.

Mamifere

Mamiferele sunt animale vertebrate, acoperite cu blană sau păr, ca oamenii. Cele mai multe mamifere nasc pui complet dezvoltați. Unele mamifere, precum balenele, trăiesc în apă.

Nevertebrate

Nevertebratele sunt animale fără coloană vertebrală, ca insectele, păianjenii și crustaceele, precum crabii și racii.

Pești

Peștii trăiesc în râuri, lacuri, fluvii, iazuri și oceane. Au branhii care-i ajută să respire sub apă, și cei mai mulți dintre ei sunt acoperiți de solzi.

Păsări

Păsările au pene și depun ouă. Cele mai multe pot zbura, însă unele preferă să stea pe pământ sau să înoate!

Plante

De la micile flori la copacii înalți, plantele au o mulțime de forme și dimensiuni. Ele sunt extrem de importante, deoarece le oferă animalelor adăpost, hrană și ajută la producerea oxigenului pe care-l respirăm.

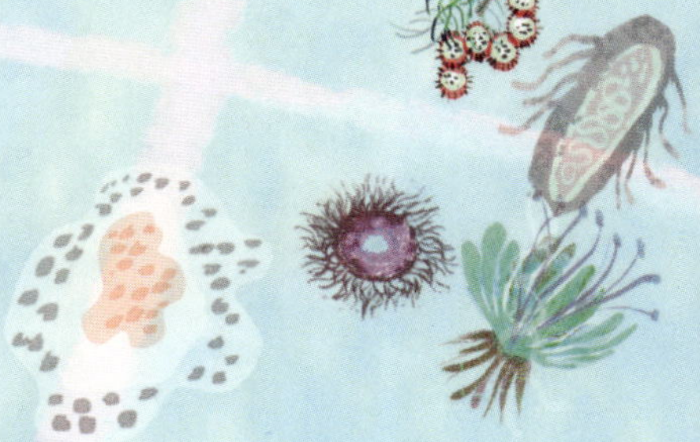

Amfibieni

Amfibienii, precum broaștele și tritonii, au nevoie de un mediu umed pentru a supraviețui. Le place să-și facă adăpost lângă iazuri sau mlaștini.

Reptile

Din grupul reptilelor fac parte crocodilii, șerpii și șopârlele. Ele au pielea uscată, solzoasă și preferă să trăiască în locuri calde, precum deșerturile și pădurile tropicale.

SUNTEM CU TOȚII UNICI

De ce este natura atât de uimitoare?

Fiecare viețuitoare este unică și specială – nimeni și nimic nu e la fel. De la amprentele tale la frunzele unui copac, dacă te uiți îndeaproape, vei vedea că toate sunt diferite.

Fantezie de frunze

Din depărtare, frunzele unui copac arată la fel, dar, dacă le privești de aproape, vei vedea că fiecare prezintă un model diferit de mici nervuri.

Dungi amețitoare

Fiecare zebră are dungi unice. Acest lucru ajută puiul de zebră să-și găsească mama într-o turmă uriașă.

Unicat

Cochiliile ghiocului-tigru nu sunt identice. Fiecare cochilie are o culoare maronie frumoasă, cu picățele gri-albăstrui.

Fulgi de zăpadă diferiți

Fulgii de zăpadă arată cu toții la fel când cad din cer, însă dacă-i analizezi la microscop, vei vedea că au forme complet diferite.

Găsește diferențele

Nu doar gâtul lung al girafelor le face să iasă în evidență – ci și petele diferite de pe blana fiecăreia.

CASĂ, DULCE CASĂ

Cum construim o casă?

Toate viețuitoarele au nevoie de o casă – un loc în care să se simtă în siguranță, încălzite și protejate. La fel ca oamenii, animalele își construiesc locuințele din materiale pe care le găsesc în habitatele lor.

Mic și confortabil

Șoarecele pitic preferă să-și caute culcuș în ierburile înalte. El face un cuib mic, rotunjit, de aproximativ zece centimetri lățime, din grâu și iarbă.

Schimb de cochilii

Crabii folosesc cochilii abandonate de scoici pe post de locuințe mobile. Când cresc prea mari și nu mai încap în ele, stau la rând în ordinea dimensiunii pentru a face schimb de cochilii și a primi o casă nouă!

Cuiburi ale iubirii

Pentru a atrage o femelă, pasărea țesător împletește cu grijă un cuib din iarbă. Când cuibul e gata, femela vine să-l inspecteze. Dacă nu-i place, masculul trebuie să ia munca de la capăt.

Adăpost în frunză

Păianjenul Phonognatha se ascunde înăuntrul unei frunze uscate, pe care o țese cu iscusință în mijlocul pânzei sale. E nevoie de mult antrenament pentru a răsuci o frunză uscată, așa că păianjenii mai tineri încep cu frunze proaspete, care se îndoaie mai ușor.

TOATĂ LUMEA VORBEȘTE

Cum comunicăm între noi?

Oamenii comunică prin cuvinte. În lume se vorbesc peste 7 000 de limbi diferite! Însă animalele și plantele au limbajul lor special...

Cântăreața lăudăroasă

Pasărea liră din Australia poate să imite strigătele altor păsări – și, mai mult, poate să imite alarmele mașinilor, sunetul drujbei și limbajul uman! Masculii atrag femelele imitând toate aceste zgomote și dansând.

Coduri în culori

Calamarii de recif din zona Caraibilor își schimbă culoarea pentru a comunica unii cu alții. Își transmit avertismente legate de apropierea prădătorilor sau declarații de iubire.

Limbajul junglei

Tarsierii au un strigăt ascuțit cu ajutorul căruia comunică unii cu alții în pădurea tropicală zgomotoasă. Sunt protejați de prădători datorită faptului că sunetul strident nu poate fi auzit de alte animale.

Plante protective

Planta leguminoasă numită bob trimite mesaje chimice prin rădăcini. Dacă o plantă este atacată de afide, aceasta își avertizează vecinele să se pregătească de primejdie.

ZILE PLOIOASE

Putem să ne jucăm în ploaie?

Când plouă și vrem să ieșim afară, folosim o pelerină de ploaie sau o umbrelă. Dar ce fac animalele? Pentru că unele nu se pot ascunde din calea ploii, au găsit modalități prin care să-i facă față, însă alte animale se bucură de vremea umedă.

Cozi extraordinare

Când plouă mărunt, veverița își încolăcește coada deasupra corpului, folosind-o ca pe o umbrelă și protejându-se astfel.

Adăpost pe vreme de arșiță

Corpul unui melc se poate usca ușor, așa că, atunci când Soarele strălucește, acesta se ascunde în cochilie, într-un loc răcoros. Când plouă, devine activ și pornește în căutare de hrană.

Echipament de protecție

Fluturii au un strat special pe aripile lor delicate ce-i apără de ploaie. Când atinge aripa, picătura de ploaie se sfărâmă în multe picături mici.

Condiții perfecte

Ciupercilor le plac locurile pline de umezeală, așa că așteaptă ploaia, apoi răsar la suprafața pământului.

MINUNEA APEI

Putem trăi fără apă?

Toate viețuitoarele – de la o sămânță mică până la uriașa balenă albastră – au nevoie de apă pentru a supraviețui. Oamenii nu pot trăi mai mult de trei zile fără apă! Pentru plantele și animalele care trăiesc în zone cu o climă foarte uscată, apa e o resursă greu de găsit.

Cactușii ingenioși

Cactușii au două tipuri de rădăcini, pentru a absorbi cât mai multă apă din solul uscat. Țepii ascuțiți împiedică alte animale din deșert să-și potolească setea ronțăind din frunzele lor suculente.

Baie de nisip

În loc să bea apă cu gura, diavolul țepos preferă să-și îngroape corpul în nisipul umed după ce plouă. Această șopârlă are niște cute speciale în piele, care îi transportă apa până la gură.

Potolirea setei

În timpul iernii, nu există multă apă proaspătă în frigurosul deșert Gobi. Uneori, cămilele bactriene sunt nevoite să mănânce zăpadă ca să-și potolească setea!

Livrare de apă

„Găinușa de pustiu" are niște pene speciale care pot să absoarbă apa. Adulții folosesc aceste pene pentru a transporta apa până la puii lor.

Gândaci isteți

Gândacul de deșert din Namibia are o modalitate ingenioasă prin care face rost de apă. El stă perfect nemișcat în roua dimineții, astfel încât picăturile de apă să se strângă pe spatele lui și apoi să le bea.

FAMILIA E TOTUL

Din ce e compusă o familie?

Familiile oamenilor sunt alcătuite din rude diferite, printre care mătuși, unchi, veri, bunici și uneori chiar și familii vitrege. La fel ca oamenii, multe animale locuiesc cu familiile lor și rămân cu rudele mai bătrâne toată viața.

Grijă de pui

Prigoria cu frunte albă locuiește cu surorile, părinții, bunicii, uneori chiar și unchii, și mătușile. Când una dintre femele depune ouă, întreaga familie îi aduce hrană în cuib.

Prietenii între femele

Generații întregi de femele elefanți, inclusiv bunici, fiice, surori și nepoate, trăiesc în aceeași turmă. Au o relație foarte strânsă și își protejează și cresc puii împreună.

Mirosuri speciale

Leii sunt niște feline foarte sociale. Își freacă nasul unii de alții, se ling și se scarpină pe cap, pentru a-și răspândi unul altuia mirosul și a consolida legăturile de familie.

Câini prietenoși

În haita de câini sălbatici africani, toți membrii au grijă unul de altul. După vânătoare, cei mai puternici membri se întorc în vizuina lor, unde regurgitează mâncarea pentru pui și câinii mai bătrâni și bolnavi, asigurându-se că toți sunt hrăniți.

LA MULȚI ANI!

Îți poți da seama care e vârsta unui copac?

Pe măsură ce îmbătrânim, părul nostru începe să încărunțească și pielea să fie brăzdată de riduri. Ne marcăm vârsta prin petreceri aniversare. Animalele și plantele poate că duc lipsă de petreceri, dar ne oferă indicii prin care putem să ne dăm seama de vârsta lor.

Măreața Ming

Cel mai bătrân animal din lume a fost o scoică de 507 ani, pe nume Ming. Oamenii de știință i-au identificat vârsta numărând inelele de pe cochilia ei.

E scris în solzi

Poți să afli vârsta unui pește numărând micile inele de pe solzii lui – dar s-ar putea să ai nevoie de un microscop!

Crescând în cercuri

Poți să afli vârsta unui copac numărând inelele de pe trunchiul lui, când acesta e retezat. Unul dintre cei mai bătrâni copaci din lume este o tisă din Țara Galilor, despre care se crede că are peste 4 000 de ani.

Fosile

Rocile se formează în straturi, cel mai bătrân găsindu-se la bază și cel mai tânăr în vârf. Unele stânci conțin fosile de animale precum dinozaurii, iar acestea îi ajută pe oamenii de știință să afle când s-a format roca.

CREȘTEREA

Cum ajung puii la maturitate?

Toate viețuitoarele de pe pământ se nasc mici și cresc în timp. La fel ca oamenii, pe măsură ce animalele îmbătrânesc, ele trec prin diverse etape de dezvoltare, începând viața ca pui, apoi transformându-se în copii, adolescenți și, în cele din urmă, adulți.

Libelula

Libelula își depune ouăle în apă.

După câteva săptămâni, eclozează și apar nimfele.

Când nimfele ajung la maturitate, ele ies din apă, năpârlesc și se transformă în libelule tinere.

Puiul de cal

Puiul de cal se numește mânz. El poate să stea în picioare la câteva minute după ce se naște.

La 4 ani, calul devine adult. Femela se numește iapă, iar masculul, armăsar.

Un cârlan este un cal cu vârsta între 1 și 2 ani.

Broasca

Ouăle de broască se numesc embrioni.

Ouăle se transformă în mormoloci și, după cinci săptămâni, începe să li se formeze picioarele.

După 14 săptămâni, mormolocii devin broscuțe gata să iasă din apă.

După doi ani, broaștele ajung la dimensiunea de adult.

Rața sălbatică

Femela depune până la 12 ouă și clocește timp de 28 de zile.

Durează 24 de ore până la eclozare.

După 50-60 de zile, rățuștele pot zbura și sunt pregătite să fie independente.

În primele zile, rățuștele stau aproape de mama lor, care le adăpostește noaptea sub penele ei, pentru a le ține de cald.

DESCOPERIREA NATURII

De ce e bine să ne petrecem timpul în aer liber?

Fără îndoială, e distractiv să stăm în aer liber, dar știai că e și un lucru benefic? Petrecerea timpului în natură ne face mai sănătoși, mai fericiți, ba chiar mai isteți.
Încearcă și tu!

Observarea naturii

Ne putem simți mai relaxați dacă ne uităm timp de 10 minute la peisaje cu verdeață. Asta pentru că mintea noastră se concentrează pe observarea naturii din jur, și nu mai suntem preocupați de gânduri sau griji!

Oprește-te și miroase florile

Mirosuri precum cel al ierbii proaspăt cosite sau al unei păduri de pini ne pot face să ne simțim mai calmi și mai relaxați. În Japonia, oamenii meditează în pădure – pur și simplu, se opresc din ce fac și se bucură de atmosfera pădurii.

Muzică de relaxare

Unii oameni de știință sunt de părere că ascultarea cântecului păsărilor ne poate face să ne simțim mai bine. Sunete precum ciripitul păsărilor amplifică hormonii din corpul nostru care ne ajută să ne concentrăm și să fim mai atenți.

Să scormonim în pământ

Dacă scormonim în pământ, ne putem înveseli. Când săpăm în pământ, răscolim mici bacterii pe care ajungem să le respirăm. Aceste particule (numite microbi) ne fac corpul să producă mai multă serotonină, care, la rândul ei, ne ridică moralul.

*Nu uita că niciun spațiu nu e prea mic pentru a-l înverzi! Poți să creezi un spațiu verde și în casă, folosind plante de interior, sau poți crește o grădină pe balcon, cultivând plante în ghiveci.

LUCRU ÎN ECHIPĂ

De ce lucrăm în echipă?

Uneori, nu putem să facem lucrurile singuri, așa că avem nevoie de ajutorul fraților, prietenilor sau colegilor. Când lucrăm unii cu alții, se spune că lucrăm în echipă. La fel ca oamenii, diferite specii de animale lucrează în echipă în sălbăticie, pentru a se ajuta unele pe altele.

Cineva miroase bine

Masculul *Euglossa* atrage femelele eliberând un miros pe care-l colectează din orhidee. Albina vizitează floarea, polenizând-o totodată.

Larg deschis

Se spune că uneori, crocodilul își deschide gura, lăsând pasărea crocodilului să-i ciugulească dintre dinți resturile de mâncare. Astfel, crocodilul își curăță dinții, iar pasărea primește o mâncare delicioasă.

O pereche țepoasă

Furnicile trăiesc înăuntrul ghimpilor pomului acacia, hrănindu-se cu seva produsă de acesta. În schimbul mesei gustoase, furnicile protejează copacul de orice animale ierbivore care încearcă să-i ronțăie ramurile.

Adăpost sigur

Peștele clovn conviețuiește în siguranță alături de tentaculele anemonei de mare. Peștele este protejat de prădători, iar anemona de mare se bucură de curenți mai puternici de apă, fiindcă peștii dau din aripioare în timp ce înoată.

NĂPÂRLIRE

De ce ne cade părul?

Uneori, când ne pieptănăm, observăm că ne cad câteva fire de păr. Asta fiindcă scăpăm de părul vechi pentru a face loc unor fire noi, care cresc în timpul verii și al iernii. Și animalele se descotorosesc de blana, penele și chiar pielea lor, pentru a se menține în cea mai bună stare și a se adapta la schimbările anotimpurilor.

Schimbări tomnatice

Toamna, copacii încep să-și scuture frunzele, înainte de sosirea iernii. Acest lucru îi ajută să economisească apă și energie în timpul lunilor geroase și aspre.

Răcorire

În lunile mai calde de vară, câinii din rasa husky își dau jos stratul mai gros de blană, pentru a face loc unei haine mai ușoare, de vară, ce-i ajută să se răcorească.

Strâns pe corp!

Deși corpul unui șarpe de porumb crește în permanență, pielea lui rămâne la fel. De aceea, șarpele dezvoltă un nou strat de piele, mai încăpător, renunțând la cel vechi.

Pene pregătite pentru zbor

Gâștele canadiene zboară pe distanțe lungi, așa că au nevoie de pene foarte puternice. Aceste pene le cad toate deodată, așa că, pentru o scurtă vreme, ele nu pot zbura.

Coarne atrăgătoare

Cerbii lopătari se folosesc de coarnele lor impresionante pentru a atrage femelele și a alunga alți masculi, așa că e important ca aceste coarne să fie sănătoase. De aceea, ele cad în fiecare an, fiind înlocuite de unele noi!

PE DRUM

Am ajuns?

Oamenii călătoresc în jurul lumii pentru a-și găsi locuințe noi în zone mai sigure, a merge în vacanță sau a-și vizita prietenii și rudele care locuiesc în alte țări. Multe animale pleacă în călătorii în fiecare an, cu scopul de a găsi hrană mai bună și locuri în care să-și crească puii, sau ca să se bucure de vremea mai caldă.

Pășuni mai verzi

Turme de până la 100 000 de reni karibu migrează în fiecare vară spre pajiști mai fertile, iar acolo dau naștere puilor. Imediat ce începe să ningă, se întorc în locuri mai adăpostite și, în timpul iernii, se hrănesc cu licheni.

Înotători pe distanțe lungi

Dintre toate mamiferele, balenele cu cocoașă parcurg una dintre cele mai lungi distanțe în timpul migrației lor, călătorind aproximativ 5 000 de kilometri.

Monarhi măreți

Fluturele monarh migrează tocmai din Canada până în Mexic. Fiecare fluture știe, instinctiv, încotro să meargă din momentul când iese din crisalidă.

De sus până jos

În fiecare an, chira arctică zboară de la locul ei de împerechere din Arctica până în Antarctica – adică în cealaltă parte a lumii!

E DISTRACTIV SĂ CAUȚI MÂNCARE!

Putem găsi hrană în sălbăticie?

În sălbăticie, animalele scotocesc după hrană, pe care-o caută în aceleași habitate unde trăiesc. Deși ne putem cultiva hrana, sau o putem cumpăra de la supermarket, și noi culegem diverse alimente, precum fragii, ierburile și nucile.

Pregătiri pentru cămară

Șoarecele de pădure are o cămăruță specială pentru mâncare în vizuina lui, unde depozitează hrana adunată în timpul verii. El strânge semințe, rădăcini, fragi și nuci pe care le devorează iarna.

Depozite uimitoare

Veverițele adună nuci și fragi din pădure. Tot ce nu mănâncă pe loc transportă în scorburile lor, folosindu-se de „buzunarele" pe care le au sub obraji.

Stând la pândă

Bufnița mare cu coarne pândește prada de pe ramurile copacilor din pădure. Ea prinde șoareci și iepuri, și îi place să-și construiască cuibul în fagi, plopi și ienuperi.

Un animal deloc mofturos

Coiotul mănâncă aproape orice. Prinde iepuri, broaște, insecte, ba uneori chiar și șerpi, dar mănâncă și fructe, și ierburi.

ANOTIMPURI SCHIMBĂTOARE

De ce vara trebuie să se termine?

Pământul se rotește constant în jurul Soarelui. Când se apropie de Soare, vremea e mai caldă. Vara se sfârșește când Pământul se îndepărtează de Soare. Dacă anotimpurile nu se schimbă, înseamnă că Pământul s-a oprit din învârtit!

Trezirea la viață

Primăvara este momentul când totul prinde viață. Plantele încolțesc și se înalță spre cer, iar copiii cresc cel mai mult în timpul primăverii.

Haine groase

Când vremea se răcește, purtăm mai multe straturi de haine, care ne țin de cald, iar animalelor le crește o blană mai groasă. Zilele devin mai scurte și unele animale hibernează.

Desfătare în soarele verii

Apa e o resursă căutată în timpul lunilor
dogoritoare de vară. Puii păsărilor
își iau zborul și încep să caute mâncare
pe cont propriu, iar florile parfumate
de vară, precum iasomia și caprifoiul,
atrag moliile noaptea.

Joaca în frunzele toamnei

Toamna, frunzele își schimbă culoarea
verde în auriu și portocaliu și încep
să cadă din copaci. Fructele de pădure
se coc, iar ciupercile încep să răsară
din pământul umed.

CĂUTĂTORI DE SOARE

De ce ne place soarele?

Aproape tot ce există pe planeta noastră are nevoie de soare. Dacă stăm la soare, corpul nostru rămâne puternic și sănătos. Și plantele au nevoie de lumina soarelui, pe care o folosesc pentru a produce zaharuri ce le oferă energia să crească verzi și înalte.

În căutarea Soarelui

Planta urechea elefantului are frunze de până la 1,8 metri lungime, ca să poată absorbi cât mai multă lumină în jungla umbroasă.

Moțăind în soare

De multe ori, pisicile pot fi văzute moțăind într-un loc însorit. Asta deoarece temperatura corpului lor scade când dorm, iar Soarele luminos le ține de cald.

Îngrijirea penelor

Mierlelor le place să-și întindă aripile în soare. Lumina le ajută să împrăștie uleiul produs de o glandă, care le face penele impermeabile și flexibile și alungă paraziții nesuferiți.

Corpuri calde

Reptilele cu sânge rece, precum șopârlele, nu pot să-și genereze propria căldură a corpului, așa că trebuie să stea întinse la soare, ca să-și mențină energia.

Urmărire

Margaretele își închid petalele noaptea și le deschid în lumina dimineții. Florile se întorc spre Soare, pe măsură ce acesta se mișcă pe cer în timpul zilei.

AERUL DIN JURUL NOSTRU

Cum rămâne curat aerul pe care-l respirăm?

Inspirăm oxigen și expirăm dioxid de carbon. Excesul de dioxid de carbon contribuie la încălzirea globală, dar, din fericire, plantele absorb dioxid de carbon din aer și eliberează, în schimb, oxigen. Așadar, cu cât avem mai multă grijă de copaci și plante, cu atât mai mult dioxid de carbon pot absorbi din atmosferă.

Plămânii Pământului

Fiecare copac din pădurea tropicală amazoniană ajută la producerea unei cantități mari de oxigen și la absorbirea dioxidului de carbon. Însă în pădurea amazoniană au loc din ce în ce mai multe incendii de vegetație, așa că trebuie s-o protejăm prin prevenirea schimbărilor climatice.

Oceane minunate

Oceanele absorb cantități mari de dioxid de carbon produse pe Pământ. Dar acesta nu e absorbit în apă. Algele, coralii și ierburile marine îl pot absorbi, la fel și planctonul (și balenele care se hrănesc cu toate acestea)!

Păduri fascinante

Pădurile de alge sunt extrem de importante pentru planetă, căci absorb dioxid de carbon din belșug. Uriașele păduri subacvatice de pe coasta Californiei sunt unele dintre cele mai mari din lume.

Iarba marină uimitoare

Iarba marină crește la adâncime mică, așa încât să poată folosi energia Soarelui pentru a crește sub apă!

SUNTEM CU TOȚII CONECTAȚI

Ce este un ecosistem?

Un ecosistem este o comunitate de viețuitoare care împart un mediu. Toate viețuitoarele dintr-un ecosistem depind unele de altele, și de aceea oamenii trebuie să aibă grijă să nu distrugă aceste medii. Nu contează unde locuiești în lume: ecosistemele sunt pretutindeni în jurul nostru. Ele pot fi uriașe, precum o pădure tropicală, sau mici, ca iazul din grădina ta.

Zigopterele se hrănesc cu ierburile care cresc în jurul iazului.

Buștenii vechi și pietrele oferă adăpost tritonilor și broaștelor în lunile târzii de vară.

În timpul zilei, mormolocii au nevoie de zone puțin adânci, însorite, iar noaptea de ape mai adânci.

Vegetația din jurul iazurilor le oferă găinușelor de baltă atât hrană, cât și un loc sigur în care să doarmă noaptea.

Libelulele depun ouă pe tulpinile sau frunzele plantelor, aproape de suprafața apei.

Ierburile din jurul mlaștinilor sunt o sursă preferată de hrană pentru rațe și ascunzători bune pentru broaște.

ÎN JURUL LUMII

E frig peste tot în decembrie?

Datorită faptului că Pământul se rotește, călătorind în jurul Soarelui, vremea se schimbă în funcție de regiunea unde locuim în lume. Dacă trăiești în partea opusă a planetei față de un prieten sau o rudă a ta, ora, vremea, și chiar anotimpul diferă pentru fiecare dintre voi.

Lunile de vară

În emisfera nordică, vara durează în lunile iunie, iulie și august, și iarna – în decembrie, ianuarie și februarie. În emisfera sudică, se întâmplă invers. Așadar, dacă locuiești în Australia, Crăciunul are loc în mijlocul verii!

Umbre speciale

Știai că umbra ta este poziționată altfel în diferite părți ale lumii? În emisfera nordică, la ora prânzului va fi spre nord, iar în emisfera sudică, spre sud.

Apă învolburată

În emisfera sudică, vârtejurile mari de apă se rotesc în sensul acelor de ceasornic, în vreme ce în emisfera nordică se învârt în sens invers acelor de ceasornic. Unii oameni cred că același lucru se întâmplă și în cadă, însă nu există suficientă apă disponibilă pentru a testa această teorie!

Rotiri

În emisfera sudică, furtunile precum uraganele sau taifunurile se învârt în sensul acelor de ceasornic, dar în emisfera nordică se învârt în sensul opus.

TOTUL E UTIL

Care este rolul excrementelor?

Aproape toate animalele de pe planetă își fac nevoile, dar care este rolul excrementelor? Acestea sunt foarte utile, pentru că răspândesc semințele, ajutând astfel la dezvoltarea pădurilor, fermelor sau grădinilor, iar pentru unele animale fecalele sunt chiar o gustare delicioasă...

Plăcerea grădinarului

Fermierilor și grădinarilor le place să fertilizeze solul cu bălegar de cal sau de vacă, pentru a-și ajuta culturile de cereale. Bălegarul, numit și îngrășământ natural, oferă solului mai multe substanțe nutritive, astfel încât plantele să devină mai puternice și să producă mai multe flori, fructe și legume.

Mingi mari de... bălegar

Când un gândac de bălegar găsește excremente de elefant sau de rinocer, le transformă într-o minge, și apoi o rostogolește. Gândacii mănâncă din aceste mingi de bălegar și depun ouă în ele.

Toalete în vârful copacilor

Păsările din specia *Dicaeum hirundinaceum* se hrănesc cu fructele vâscului. Excrementele acestor păsări sunt pline de semințe, așa că, atunci când zboară, le împrăștie dintr-un copac în altul.

Prieteni înotători

În zona Pantanal din Brazilia, plantelor le cad fructele în timpul sezonului ploios, când pământul este inundat, pentru ca peștii să le mănânce și apoi să răspândească semințele prin excremente, oriunde înoată.

OASE UIMITOARE

Cum ne ajută corpul nostru să ne mișcăm?

Toți oamenii au un schelet, alcătuit dintr-o mulțime de oase diferite. Aceste oase dau o formă corpului și ne ajută să ne mișcăm. Scheletul ne poate oferi multe informații despre abilitățile unui animal – doar am învățat totul despre dinozauri studiind fosilele!

Lilieci agățați

Liliacul are la capătul fiecărui braț patru degete subțiri și extrem de lungi, care formează cadrul aripilor. Liliacul are și picioare osoase la spate, ce-l ajută să stea agățat cu capul în jos atunci când doarme.

Făcut pentru viteză

Scheletul unui ghepard este compus astfel încât să-l ajute să alerge cu viteză mare. Oasele picioarelor sunt foarte lungi și are o coloană vertebrală flexibilă, care-i permite să parcurgă 6 metri la fiecare pas.

Cât se poate de flexibil

Pitonul verde are nevoie să se înfășoare strâns în jurul crengilor sau al prăzii. Șerpii au o coloană vertebrală foarte lungă și sute de coaste care li se întind pe tot corpul, ceea ce îi face puternici și flexibili.

Ușor ca o pană

Șoimul călător poate zbura cu o viteză de până la 320 de kilometri pe oră. Pentru că are oase goale, corpul șoimului este extrem de ușor, așa că pasărea nu-și risipește prea multă energie zburând.

INCREDIBIL DE ISTEȚI

Cine-i cel mai deștept?

Toți oamenii au creier. Ne folosim creierul pentru a fi creativi, a rezolva probleme, a construi lucruri și a învăța. La fel ca noi, și animalele pot fi extrem de inteligente.

Sabotajul veveriței

Dacă o veveriță simte că e urmărită de alt animal, aceasta se preface că îngroapă mâncarea, pentru a-l induce în eroare.

Mamifer în oglindă

Delfinii sunt unele dintre cele mai inteligente animale, iar oamenii de știință au descoperit că-și pot recunoaște reflexia în oglindă.

Confecționarea armurii

Unele specii de caracatițe au descoperit că pot folosi cojile de nucă de cocos pe post de ascunzătoare. Ele cară coaja nucii de cocos și o folosesc ca armură dacă se simt amenințate.

Compozitori

Papagalul cacadu negru confecționează instrumente muzicale din rămurele și păstăi, pentru a impresiona o potențială parteneră.

Furnici fermier

Furnicile tăietoare de frunze cară frunzele până la mușuroiul lor, unde le ronțăie, apoi le scuipă. Acest lucru determină apariția unei ciuperci speciale. Furnicile cresc ciuperca în siguranță, în galeria lor, apoi se hrănesc cu ea când le e foame.

SUPERSIMȚURI

De ce avem simțuri?

Simțurile noastre ne ajută să înțelegem lumea din jur și, mai ales, să ne ferim de pericole. Unele animale au simțuri mult mai dezvoltate decât ale oamenilor.

Limbă răsucită

Spre deosebire de oameni, șerpii nu au nas. Au nări, care-i ajută să respire, însă ei simt mirosul cu ajutorul limbii, pe care și-o răsucesc pentru a adulmeca aerul. Acest lucru le permite să simtă pericolul (sau prada) din apropiere.

Evacuare de urgență

Caprele care trăiesc lângă Muntele Etna, un vulcan din Sicilia, sunt cunoscute pentru că devin neliniștite înainte de o erupție. Specialiștii în fauna sălbatică sunt de părere că acest lucru se întâmplă deoarece caprele simt sau aud pământul cutremurându-se înaintea oamenilor.

Auz folositor

Auzul excelent al moliei mari de ceară o ajută în întuneric și, de asemenea, să scape de prădători precum liliecii.

Ochi neobișnuiți

Crevetele-călugăriță are ochii poziționați pe două coarne, care se pot mișca independent în direcții diferite. Acest lucru îl ajută să-i spioneze pe prădătorii care încearcă să se furișeze în jurul lui.

OFERIM ȘI PRIMIM

Din ce confecționăm diverse lucruri?

Din materiale! Folosim o mulțime de materiale pentru a face obiecte. Uneori, aceste materiale vin din natură, de exemplu de la plante, animale sau de pe pământ, dar alteori sunt făcute de mâna omului. Dar trebuie să avem grijă să nu le folosim în exces!!

Lemn prețuit

Știai că hârtia și creioanele pe care le folosești când scrii sunt făcute din copaci? E important să reciclăm hârtia, ca să nu fim nevoiți să tăiem prea mulți copaci.

Haine frumoase

O mulțime de haine pe care le purtăm sunt făcute din materiale precum bumbacul sau lâna. Bumbacul vine din semințele plantei de bumbac, iar lâna de la animale precum oile sau caprele.

Făcut din noroi

Dacă te uiți prin casa ta acum, cu siguranță vei găsi un obiect făcut din lut. Lutul este un material natural, care se găsește în subteran și se întărește când se usucă. Din el se pot modela cărămizi și ghivece pentru plante, sau chiar și o ceașcă din care să bei ciocolată caldă!

Problema plasticului

Din păcate, o mulțime dintre lucrurile pe care le folosim, de exemplu anumite sticle și periuțele de dinți, sunt făcute din plastic. Problema cu plasticul este că nu se descompune, precum hârtia sau mâncarea, așa că rămâne tot timpul pe planeta noastră. Este foarte important să încercăm să refolosim obiectele din plastic sau, și mai bine, să folosim alternative precum recipientele de sticlă sau periuțele din bambus!

Ce facem cu gunoiul?

Dacă aruncăm gunoiul în locuri nepotrivite, riscăm să punem în pericol animalele și habitatele lor. De aceea, trebuie să avem grijă să aruncăm gunoiul în tomberon. Plasticul, metalele, sticla, chiar și mâncarea sunt reciclabile, ceea ce înseamnă că pot fi refolosite la nesfârșit!

ORA DE CULCARE

Trebuie să mergem la culcare acum?

Toate viețuitoarele au nevoie de odihnă. La fel ca mâncarea, somnul este esențial pentru supraviețuire, căci oferă corpului timp să se odihnească și să se pregătească pentru ziua următoare. Nouă ne place să dormim într-un pat moale, dar unele animale au diverse modalități de a dormi.

Dormind în picioare

Vacile se poziționează astfel încât să poată dormi în picioare. Acest lucru le permite să fugă mai ușor de prădători noaptea.

Ține-te bine

Vidrele de mare se înfășoară în alge sau se țin de mâini (ori lăbuțe) când e vremea să meargă la culcare. Astfel, când dorm, nu se îndepărtează unele de altele.

Strigăte de alarmă

Când Soarele începe să apună, pescăreii de copac se strâng pe crengi și se cuibăresc laolaltă în timpul nopții. La răsărit, toți încep să cânte la unison, făcând un mare tărăboi.

Pui de somn pe vreme rece

Fluturii merg la culcare în timpul după-amiezii, pentru că nu pot zbura noaptea, când e frig. Se ascund sub frunze late sau ramuri și așteaptă dimineața, când vremea se încălzește din nou.

SĂ DĂM NATURII O MÂNĂ DE AJUTOR!

Cum putem ajuta natura înconjurătoare?

Fie că ai un balcon, o grădină sau doar câteva ghivece cu flori, natura este peste tot în jur și are nevoie de ajutorul tău. Cel mai bun mod prin care poți susține și încuraja viața sălbatică e să te asiguri că animalele au suficiente locuri sigure în care să trăiască și mâncare din belșug.

Salvează ierburile

Lasă porțiuni din grădina ta să se sălbăticească. Ierburi precum păpădiile și urzicile sunt un mediu propice pentru o mulțime de viețăți, oferind hrană albinelor, fluturilor și altor polenizatori importanți.

Construiește o locuință pentru un broscoi

Sapă o groapă de aproximativ 30 de centimetri adâncime și umple-o cu crengi și pietre. Asigură-te că există suficient spațiu între crengi pentru broaște, broscoi și tritoni. Apoi acoperă jumătate din suprafața de deasupra cu sol și frunze, dar ai grijă să lași intrarea liberă. Poți să presari semințe de flori sălbatice peste groapă sau s-o camuflezi cu nuiele și ramuri.

Libertate!

Fă o gaură în gard, pentru ca animalele să poată călători dintr-o grădină în alta. Animale precum aricii și broaștele au nevoie să se deplaseze pe suprafețe mari de teren, în căutare de hrană și de adăpost.

Construiește un mic iaz

Poți să faci un mic iaz dintr-un lighean vechi sau un container. Mai întâi, aranjează niște pietre de pavaj și o rampă, pentru ca animalele să poată intra și ieși din iaz. Apoi adaugă un strat de pietriș pe fundul ligheanului și umple-l cu apă. Pune câteva plante de apă, precum iarba de iaz, și așteaptă să vezi cine sosește!

AI GĂSIT...

...cele 15 urme ascunse în carte?

16-17 Minunea apei

8-9 Suntem cu toții unici

20-21 La mulți ani!

10-11 Casă, dulce casă

24-25 Descoperirea naturii

12-13 Toată lumea vorbește

36-37 Căutători de Soare

40-41 Suntem cu toții conectați

42-43 În jurul lumii

44-45 Totul e util

46-47 Oase uimitoare

48-49 Incredibil de isteți

50-51 Supersimțuri

52-53 Oferim și primim

56-57 Să dăm naturii o mână de ajutor!

GLOSAR

Învață să vorbești ca un expert în planeta Pământ

Migrație

Când animalele sau păsările migrează, ele călătoresc anual și în aceeași perioadă în diferite părți ale planetei. Călătoresc în locuri unde au cele mai bune condiții pentru hrănire, împerechere și creșterea puilor.

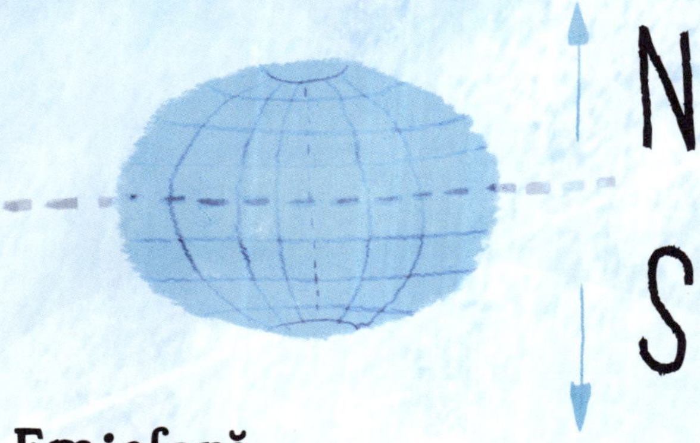

Emisferă

Emisfera este o jumătate din Pământ. Pământul e împărțit în emisfera sudică și emisfera nordică.

Specie

Un tip de animal sau plantă. O specie aflată pe cale de dispariție înseamnă un animal sau o plantă care ar putea să dispară din cauză că în sălbăticie mai există doar câteva exemplare din acea specie.

Ecosistem

Un mediu specific în care plantele, animalele și organismele vii interacționează între ele și cu natura din jur. Ecosistemele pot fi mari, cât o pădure tropicală, sau mici, ca un iaz de grădină.

Încălzirea globală

Procesul care determină creșterea temperaturii Pământului, ducând la probleme precum incendiile de vegetație și topirea calotei glaciare.

Schimbări climatice

Schimbările suferite de clima Pământului, pe parcursul unei perioade lungi de timp, cauzate de nivelurile crescute de gaze precum dioxidul de carbon.

INDEX

Cu dragoste, extraordinarei Noya
și lui Tavor, băiatul-minune

First published in the United Kingdom in 2021 by
Thames & Hudson Ltd, 181A High Holborn, London WC1V 7QX

Text și ilustrații de
YUVAL ZOMMER

Editor coordonator: Florentina Ion
Redactor: Teodora Zaharia
Traducere: Diana Trăncuță
Corector: Eugenia Oprea
DTP: Mihaela Nicolae

Descrierea CIP a Bibliotecii Naționale a României
ZOMMER, YUVAL
Marea carte cu întrebări / Yuval Zommer; trad.: Diana Trăncuță. - București: Didactica Publishing House, 2021
ISBN 978-606-048-441-7

I. Trăncuță, Diana (trad.)

087.5

DIDACTICA PUBLISHING HOUSE
Splaiul Unirii nr. 16, Clădirea Muntenia Business Center,
etaj 5, 506, sector 4, București
Informații și comenzi:
tel./fax: 021 410.88.14/021 410.88.10;
e-mail: office@edituradph.ro
www.edituradph.ro

MIX
Hârtie | Susținând silvicultura responsabilă
FSC® C102842